D1925306

Genehmigte Lizenzausgabe für
Findling Buchverlag Lüneburg GmbH,
D-21339 Lüneburg
© Copyright Middelhauve Verlags GmbH,
D-81675 München,
für Wolfgang Mann Verlag, D-10711 Berlin
Alle Rechte vorbehalten,
auch die des auszugsweisen Abdrucks,
gleich welcher Medien

Printed in Germany

ISBN 3-935541-48-1

Das Bärenkind

Eine Geschichte von
Barbara Cratzius

Mit Bildern von
Ursula Blancke

Findling
Buchverlag Lüneburg

Im dichten Unterholz am Rande der großen Straße hockt das Bärenkind. Es stupst immer wieder mit der kleinen Schnauze seine Mutter an. Die Bärenmutter brummt nicht mehr. Ein großes Lastauto hat sie angefahren. Bis zum Gebüsch hat sie sich noch schleppen können. Dort liegt sie nun und bewegt sich nicht.
Lange streicht Beppa um den großen braunen Körper herum. Der vertraute Geruch der Bärenmutter ist nicht mehr da.

Langsam trottet Beppa fort, über Moos und Stein. Ihr Magen knurrt. Unter einem großen Stein krabbeln Ameisen hervor. Die würde Beppa jetzt gerne fressen, aber allein kann sie den schweren Stein nicht bewegen.

Beppa läuft zum Bach. Wie das hier plätschert und gluckert! Da springt ein Fisch aus dem Wasser. Da noch einer. Beppa will so ein glitschiges Zappelding fangen. Patsch, daneben! Sie versucht es eine ganze Weile, aber die Fische sind einfach zu schnell.

Die Sonne brennt heiß. Unter der hohen Fichte ist Schatten. Hier will Beppa ein wenig ausruhen.
Im Baum über ihr hockt ein Eichhörnchen. Es läßt einen Zapfen fallen. Beppa versucht, ihn zu fangen. Vielleicht kann man den ja fressen.
Auf einmal riecht es so vertraut – irgendwie nach Bär. Sie läuft dem Geruch nach.

Beppa zwängt sich durchs Gebüsch. Vor ihr liegt ein weites grünes Tal. Da taucht aus dem hohen Gras ein brauner Zottelkopf auf, daneben noch ein zweiter. Zwei junge Bären toben auf der Wiese herum. Sie raufen miteinander und überkugeln sich. Beppa hält es nicht länger in ihrem Versteck. Langsam und zögernd trabt sie den beiden Bärenkindern entgegen.

Beppa hockt sich vor die beiden ins Gras. Die jungen Bären kommen tapsend näher und beschnüffeln sie. Beppa schnüffelt auch. Die riechen gut! Beppa brummt zufrieden. Der Bärenjunge Bärti gibt ihr einen leichten Stoß mit der Pfote. Da springt Beppa auf und stupst zurück. Fang mich doch, wenn du kannst!
Sie spielen schon eine ganze Weile, da raschelt es hinter ihnen im Gras.

Ein riesiger Bär trottet herbei. Beppa erschrickt. Sie macht sich ganz klein. Bärni und Bärti springen dem großen Tier entgegen. Sie lassen sich lecken. Sie brummen vor Freude. Die Bärenmutter beugt sich schnüffelnd über das zitternde, fremde Bärenkind. Sie fährt ihm mit der Zunge über das Fell.
Ungeduldig stoßen Bärni und Bärti nach ihren Zitzen. Sie gibt auch dem fremden Bärenkind zu trinken.

Bärni und Bärti sind bald satt und tollen im Gras herum. Aber Beppa trinkt und trinkt.
Endlich hat sie genug. „Kommt!“ ruft die Bärenmutter. „Wir wollen unten am Wasser Fische fangen!“ – Bärni läuft voraus und wartet vor den Himbeerbüschen.
Die Bärenmutter stellt sich auf die Hinterbeine und zieht mit den Vorderbeinen die Zweige mit den roten Beeren herunter. Die Bärenkinder schlecken und schmatzen.

Nun stehen sie unten am Wasser. Bärni und Bärti versuchen ihr Glück. Bärni ist am geschicktesten. Er fängt schon selber einen fetten Fisch. Bärti schlägt mit den Tatzen nach den Schatten der Fische. Das sieht lustig aus. Einen Fisch fängt er so natürlich nicht.
Beppa steht unschlüssig am Ufer herum. „Bleib ruhig da!“ brummt die Bärenmutter. „Du lernst es auch noch!“ Sie wirft Beppa einen Fisch gerade vor die Pfoten.

Die Bärenkinder kauen genüßlich. Auch Beppa ist satt geworden. Da dröhnt und surrt es auf einmal über ihnen. Ein mächtiger dunkler Schatten gleitet über das Wasser. – „Ein Riesenvogel!“ Beppa ist entsetzt. Die Bären hetzen den Hang hoch und ducken sich ins dichte Unterholz. Sie liegen ganz still. Endlich ist der dunkle Schatten verschwunden. Aber die drei Bärenkinder haben immer noch Angst. – Zum Glück ist die Bärenmutter ja bei ihnen.
Inzwischen ist es dunkel und kalt geworden. Tief hängen die Wolken. In der Ferne grollt der Donner. Blitze zucken über den Himmel. Die Bärenkinder ducken sich. Ist da etwa noch so ein Riesenvogel? Nein, nein, keine Angst!
Die Bärenmutter hat schon eine Höhle entdeckt. Schnell hinein!

Drinnen kuscheln sich die Bärenkinder an den warmen Pelz der Mutter. Zärtlich fährt die Bärin ihren drei Kindern über die Schnauze. Dann schlafen sie ein. –
Und draußen rauscht der warme Regen.

Wissenswertes über die Braunbären

Fast ganz Europa war einmal Bärenland. Auch bei uns in Deutschland gab es vor 200 Jahren noch Bären in den Wäldern. Aber die Wälder wurden abgeholzt, die Bären wurden gejagt und aus ihrem Lebensraum verdrängt, so daß man heute in Europa nur noch wenige von ihnen findet. Uns bleiben nur die zoologischen Gärten, wenn wir beobachten wollen, wie die kleinen Bärenkinder miteinander spielen, wie sie sich überkugeln, wie sie auf Bäume klettern und liebevoll von der Bärenmutter bewacht und betreut werden.

Eine Bärenfamilie bleibt in freier Wildbahn bis zwei Jahre lang zusammen. Die Bärenmutter bringt ihre Jungen – meist zwei oder drei, selten vier – während der Winterruhe in einer Höhle zur Welt. Sie wiegen bei der Geburt nur knapp ein Pfund, wachsen aber in der Höhle rasch auf 20 Pfund heran. So können sie im Frühling, wenn sie aus der Höhle herauskriechen, schon bald munter herumtollen.

Die Bärenmutter ist eine strenge Lehrmeisterin. Wenn die Bärenkinder das Winterversteck verlassen haben, müssen sie als erstes klettern lernen. Das Klettern ist für sie lebenswichtig, weil sie sonst ihren Feinden, besonders den Wölfen, nicht entkommen könnten. – Wenn die kleinen Bären ihre ersten Klettertouren hinter sich haben, werden sie zur Belohnung zärtlich von ihrer Mutter geleckt.

Die Bärenmutter läßt ihre Jungen in den ersten Lebensmonaten selten allein. Sie warnt und lockt ihre Bärenkinder, sie führt und leitet sie mit sanftem Brummeln, Murmeln, Zungenschnalzen. Die kleinen Bären spielen, raufen, boxen gern miteinander, werfen sich Moosklumpen- und Kiefernzapfenbälle zu, hüpfen vergnügt im Kreis und springen durch Pfützen.
Verwaiste Bärenkinder haben eine gute Chance, von fremden Bärenmüttern adoptiert zu werden, wenn diese Junge im selben Alter haben. Sie werden mit der gleichen Fürsorge aufgezogen wie die eigenen Jungen. Auch die Geschwister bleiben lange zusammen.

Wenn viele Bärenfamilien, zum Beispiel beim Lachsfischen, auf engem Raum zusammenkommen, mischen sich manchmal die gleichaltrigen Jungen. Sie suchen Spielgefährten und bleiben oft tagelang bei der fremden Mutter. Sie saugen an den fremden Zitzen.

So liebevoll die Bären miteinander umgehen, so wenig zugänglich sind sie für Liebkosungen durch andere Lebewesen. Die Bären in freier Wildbahn sind sehr scheu. Sie gehen den Menschen aus dem Wege. Nur wenn sie Junge haben, ist es höchst gefährlich, sich einer Bärenmutter zu nähern. Wenn sie nicht rechtzeitig fliehen kann, wird sie mit aller Kraft ihre Kinder verteidigen.

Wer mehr über Bären erfahren möchte, kann schreiben an:

Stiftung Europäisches Naturerbe
Güttinger Straße 19
78315 Radolfzell

Hier gibt es auch die Möglichkeit, eine Braunbärenpatenschaft zu übernehmen.